携手共命运 同心促发展

——在2018年中非合作论坛北京峰会开幕式上的主旨讲话

（2018年9月3日）

习 近 平

人 民 出 版 社

图书在版编目(CIP)数据

携手共命运 同心促发展:在2018年中非合作论坛北京峰会开幕式上的主旨讲话/习近平 著. —北京:人民出版社,2018.9
ISBN 978-7-01-019802-6

Ⅰ.①携… Ⅱ.①习… Ⅲ.①习近平-讲话-学习参考资料 ②区域经济合作-国际合作-中国、非洲-学习参考资料 Ⅳ.①D2-0②F125.4③F140.54

中国版本图书馆CIP数据核字(2018)第214049号

(RMC-ZJDXI-066-20180903)

携手共命运 同心促发展

XIESHOU GONG MINGYUN TONGXIN CU FAZHAN

——在2018年中非合作论坛北京峰会开幕式上的主旨讲话

(2018年9月3日)

习 近 平

人民出版社 出版发行
(100706 北京市东城区隆福寺街99号)

北京新华印刷有限公司印刷 新华书店经销

2018年9月第1版 2018年9月北京第1次印刷
开本:880毫米×1230毫米 1/32 印张:0.5
字数:7千字

ISBN 978-7-01-019802-6 定价:2.00元

邮购地址 100706 北京市东城区隆福寺街99号
人民东方图书销售中心 电话 (010)65250042 65289539

携手共命运　同心促发展

——在2018年中非合作论坛北京峰会开幕式上的主旨讲话

（2018年9月3日）

习　近　平

尊敬的拉马福萨总统，

尊敬的非洲联盟轮值主席卡加梅总统，

尊敬的各位国家元首、政府首脑、代表团团长，

尊敬的联合国秘书长古特雷斯先生，

尊敬的非洲联盟委员会主席法基先生，

女士们，先生们，朋友们：

九月的北京，金风送爽，秋色怡人。在这美好的季节，中非友好大家庭的新老朋友们再次相聚，共襄2018年中非合作论坛北京峰会盛举，我们感到十分高兴。

首先，我谨代表中国政府和中国人民，并以我个人的名义，对各位同事和嘉宾的到来表示热烈的欢迎！我也愿通过你们，向兄弟的非洲人民转达中国人民的诚挚问候和良好祝愿！

我要特别提到的是，自约翰内斯堡峰会以来，中非合作论坛相继增加了冈比亚、圣多美和普林西比、布基纳法索3名新成员。今天，巴罗总统、特罗瓦达总理、卡博雷总统分别率领三国代表团出席北京峰会，让我们以热烈的掌声欢迎他们！

各位同事、女士们、先生们！

一个多月前，我以中国国家主席身份第四次访问了非洲，这也是我本人第九次踏上非洲这片热土。访问期间，我再次目睹了非洲大地富饶美丽，非洲发展充满生机，非洲人民渴望幸福生活。我也更加坚定了这样的信念：非洲发展不可限量，非洲未来充满希望，中非友好合作前景广阔，中非全面战略合作伙伴关系发展大有可为！

“根之茂者其实遂，膏之沃者其光晔。”历史有其规律和逻辑。中非双方基于相似遭遇和共同使命，在过去的岁月里同心同向、守望相助，走出了一条特色鲜明的合作共赢之路。

在这条道路上，中国始终秉持真实亲诚理念和正确义利观，同非洲各国团结一心、同舟共济、携手前进。

——中国在合作中坚持真诚友好、平等相待。13 亿多中国人民始终同 12 亿多非洲人民同呼吸、共命运，始终尊重非洲、热爱非洲、支持非洲，坚持做到“五不”，即：不干预非洲国家探索符合国情的发展道路，不干涉非洲内政，不把自己的意志强加于人，不在对非援助中附加任何政治条件，不在对非投资融资中谋取政治私利。中国希望各国都能在处理非洲事务时做到这“五不”。中国永远是非洲的好朋友、好伙伴、好兄弟。任何人都不能破坏中非人民的大团结！

——中国在合作中坚持义利相兼、以义为先。中国相信中非合作的必由之路就是发挥各自优势，把中国发展同助力非洲发展紧密结合，实现合作共赢、共同发展。中国主张多予少取、先予后取、只予不取，张开怀抱欢迎非洲搭乘中国发展快车。任何人都不能阻挡中非人民振兴的步伐！

——中国在合作中坚持发展为民、务实高效。中国坚持把中非人民利益放在首位，为中非人民福祉而推进合作，让合作成果惠及中非人民。凡是答应非洲兄弟的事，就会尽心尽力办好。面对新形势新挑战，中国不断完善机制、创新理念、拓展领域，提高合作质量和水平，稳步迈向更高水平。中非合作好不好，只有中非人民最有发言权。任何人都不能以想象和臆测否定中非合作的显著成就！

——中国在合作中坚持开放包容、兼收并蓄。中国始终认为，非洲实现长治久安、发展振兴，是非洲人民心愿，也是国际社会责任。中国愿同国际合作伙伴一道，支持非洲和平与发展。凡是对非洲有利的事情，我们都欢迎、都支持，全世界都应该尽力做、认真做。任何人都不能阻止和干扰国际社会支持非洲发展的积极行动！

各位同事、女士们、先生们！

当今世界正在经历百年未有之大变局。世界多极化、经济全球化、社会信息化、文化多样化深入发展，全球治理体系和国际秩序变革加速推进，新兴市场国家和发展中国家快速崛起，国际力量对比更趋均衡，世界各国人民的命运从未像今天这样紧紧相连。

同时，我们也面临前所未有的挑战。霸权主义、强权政治依然存在，保护主义、单边主义不断抬头，战乱恐袭、饥荒疫情此伏彼现，传统安全和非传统安全问题复杂交织。

我们坚信，和平与发展是当今时代的主题，也是时代的命题，需要国际社会以团结、智慧、勇气，扛起历史责任，解答时代命题，展现时代担当。

——面对时代命题，中国把为人类作出新的更大贡献作为自己的使命。中国愿同世界各国携手构建人类命运共同体，发展全球伙伴关系，拓展友好合作，走出一条相互尊重、公平正义、合作共赢的国与国交往新路，让世界更加和平安宁，让人类生活更加幸福美好。

——面对时代命题，中国愿同国际合作伙伴共建"一带一路"。我们要通过这个国际合作新平台，增添共同发展新动力，把"一带一路"建设成为和平之路、繁荣之路、开放之路、绿色之路、创新之路、文明之路。

——面对时代命题，中国将积极参与全球治理，秉持共商共建共享全球治理观。中国始终是世界和平的建设者、全球发展的贡献者、国际秩序的维护者，支持扩大发展中国家在国际事务中的代表性和发言权，支持补强全球治理体系中的南方短板，支持汇聚南南合作的力量，推动全球治理体系更加平衡地反映大多数国家特别是发展中国家的意愿和利益。

——面对时代命题，中国坚定不移坚持对外开放。面对世界经济增长的不稳定性不确定性，中国坚持走开放融通、合作共赢之路，坚定维护开放型世界经济和多边贸易体制，反对保护主义、单边主义，把自己囚于自我封闭的孤岛没有前途！

各位同事、女士们、先生们！

"海不辞水，故能成其大。"中国是世界上最大的发展中国家，非洲是发展中国家最集中的大陆，中非早已结成休戚与共的命运共同体。我们愿同非洲人民心往一处想、劲往一处使，共筑更加紧密的中非命运共同体，为推动构建人类命运共同体树立典范。

第一，携手打造责任共担的中非命运共同体。我们要扩大各层级政治对话和政策沟通，加强在涉及彼此核心利益和重大关切问题上的相互理解和支持，密切在重大国际和地区问题上的协作配合，维护中非和广大发展中国家共同利益。

第二，携手打造合作共赢的中非命运共同体。我们要抓住中非发展战略对接的机遇，用好共建“一带一路”带来的重大机遇，把“一带一路”建设同落实非洲联盟《2063 年议程》、联合国 2030 年可持续发展议程以及非洲各国发展战略相互对接，开拓新的合作空间，发掘新的合作潜力，在传统优势领域深耕厚植，在新经济领域加快培育亮点。

第三，携手打造幸福共享的中非命运共同体。我们要把增进民生福祉作为发展中非关系的出发点和落脚点。中非合作要给中非人民带来看得见、摸得着的成果和实惠。长期以来，中非一直互帮互助、同舟共济，中国将为非洲减贫发展、就业创收、安居乐业作出新的更大的努力。

第四，携手打造文化共兴的中非命运共同体。我们都为中非各自灿烂的文明而自豪，也愿为世界文明多样化作出更大贡献。我们要促进中非文明交流互鉴、交融共存,为彼此文明复兴、文化进步、文艺繁荣提供持久助力,为中非合作提供更深厚的精神滋养。我们要扩大文化艺术、教育体育、智库媒体、妇女青年等各界人员交往,拉紧中非人民的情感纽带。

第五,携手打造安全共筑的中非命运共同体。历经磨难,方知和平可贵。中国主张共同、综合、合作、可持续的新安全观,坚定支持非洲国家和非洲联盟等地区组织以非洲方式解决非洲问题,支持非洲落实"消弭枪声的非洲"倡议。中国愿为促进非洲和平稳定发挥建设性作用,支持非洲国家提升自主维稳维和能力。

第六,携手打造和谐共生的中非命运共同体。地球是人类唯一的家园。中国愿同非洲一道,倡导绿色、低碳、循环、可持续的发展方式,共同保护青山绿水和万物生灵。中国愿同非洲加强在应对气候变化、应用清洁能源、防控荒漠化和水土流失、保护野生动植物等生态环保领域交流合作,让中国和非洲都成为人与自然和睦相处的美好家园。

各位同事、女士们、先生们！

2015年中非合作论坛约翰内斯堡峰会以来，中国全面落实约翰内斯堡峰会上确定的中非“十大合作计划”：一大批铁路、公路、机场、港口等基础设施以及经贸合作区陆续建成或在建设之中，中非和平安全、科教文卫、减贫惠民、民间交往等合作深入推进，中国承诺提供的600亿美元资金支持都已兑现或作出安排。“十大合作计划”给中非人民带来丰硕成果，展现了中非共同的创造力、凝聚力、行动力，将中非全面战略合作伙伴关系成功推向新的高度。

中国愿以打造新时代更加紧密的中非命运共同体为指引，在推进中非“十大合作计划”基础上，同非洲国家密切配合，未来3年和今后一段时间重点实施“八大行动”：

一是实施产业促进行动。中国决定在华设立中国—非洲经贸博览会；鼓励中国企业扩大对非投资，在非洲新建和升级一批经贸合作区；支持非洲在2030年前基本实现粮食安全，同非洲一道制定并实施中非农业现代化合作规划和行动计划，实施50个农业援助项目，向非洲受灾国家提供10亿元人民币紧急人道主义粮食援助，向非洲派遣500名高级农业专家，培养青年农业科研领军人才和农民致富带头人；支持成立中国在非企业社会责任联盟；继续加强和非洲国家本币结算合作，发挥中非发展基金、中非产能合作基金、非洲中小企业发展专项贷款作用。

二是实施设施联通行动。中国决定和非洲联盟启动编制《中非基础设施合作规划》；支持中国企业以投建营一体化等模式参与非洲基础设施建设，重点加强能源、交通、信息通信、跨境水资源等合作，同非方一道实施一批互联互通重点项目；支持非洲单一航空运输市场建设，开通更多中非直航航班；为非洲国家及其金融机构来华发行债券提供便利；在遵循多边规则和程序的前提下，支持非洲国家更好利用亚洲基础设施投资银行、新开发银行、丝路基金等资源。

三是实施贸易便利行动。中国决定扩大进口非洲商品特别是非资源类产品，支持非洲国家参加中国国际进口博览会，免除非洲最不发达国家参展费用；继续加强市场监管及海关方面交流合作，为非洲实施50个贸易畅通项目；定期举办中非品牌面对面活动；支持非洲大陆自由贸易区建设，继续同非洲有意愿的国家和地区开展自由贸易谈判；推动中非电子商务合作，建立电子商务合作机制。

四是实施绿色发展行动。中国决定为非洲实施50个绿色发展和生态环保援助项目，重点加强在应对气候变化、海洋合作、荒漠化防治、野生动物和植物保护等方面的交流合作；推进中非环境合作中心建设，加强环境政策交流对话和环境问题联合研究；开展中非绿色使者计划，在环保管理、污染防治、绿色经济等领域为非洲培养专业人才；建设中非竹子中心，帮助非洲开发竹藤产业；开展环境保护宣传教育合作。

五是实施能力建设行动。中国决定同非洲加强发展经验交流，支持开展经济社会发展规划方面合作；在非洲设立10个鲁班工坊，向非洲青年提供职业技能培训；支持设立旨在推动青年创新创业合作的中非创新合作中心；实施头雁计划，为非洲培训1000名精英人才；为非洲提供5万个中国政府奖学金名额，为非洲提供5万个研修培训名额，邀请2000名非洲青年来华交流。

六是实施健康卫生行动。中国决定优化升级50个医疗卫生援非项目，重点援建非洲疾控中心总部、中非友好医院等旗舰项目；开展公共卫生交流和信息合作，实施中非新发再发传染病、血吸虫、艾滋病、疟疾等疾控合作项目；为非洲培养更多专科医生，继续派遣并优化援非医疗队；开展“光明行”、“爱心行”、“微笑行”等医疗巡诊活动；实施面向弱势群体的妇幼心连心工程。

七是实施人文交流行动。中国决定设立中国非洲研究院，同非方深化文明互鉴；打造中非联合研究交流计划增强版；实施50个文体旅游项目，支持非洲国家加入丝绸之路国际剧院、博物馆、艺术节等联盟；打造中非媒体合作网络；继续推动中非互设文化中心；支持非洲符合条件的教育机构申办孔子学院；支持更多非洲国家成为中国公民组团出境旅游目的地。

八是实施和平安全行动。中国决定设立中非和平安全合作基金，支持中非开展和平安全和维和维稳合作，继续向非洲联盟提供无偿军事援助。支持萨赫勒、亚丁湾、几内亚湾等地区国家维护地区安全和反恐努力；设立中非和平安全论坛，为中非在和平安全领域加强交流提供平台；在共建“一带一路”、社会治安、联合国维和、打击海盗、反恐等领域推动实施50个安全援助项目。

为推动“八大行动”顺利实施，中国愿以政府援助、金融机构和企业投融资等方式，向非洲提供600亿美元支持，其中包括：提供150亿美元的无偿援助、无息贷款和优惠贷款；提供200亿美元的信贷资金额度；支持设立100亿美元的中非开发性金融专项资金和50亿美元的自非洲进口贸易融资专项资金；推动中国企业未来3年对非洲投资不少于100亿美元。同时，免除与中国有外交关系的非洲最不发达国家、重债穷国、内陆发展中国家、小岛屿发展中国家截至2018年底到期未偿还政府间无息贷款债务。

各位同事、女士们、先生们！

青年是中非关系的希望所在。我提出的中非“八大行动”倡议中，许多措施都着眼青年、培养青年、扶助青年，致力于为他们提供更多就业机会、更好发展空间。去年10月，我同南南合作与发展学院的留华学生互致书信，他们中绝大多数来自非洲。我在信中勉励他们坚持学以致用，行远升高，积厚成器，为推动中非合作和南南合作谱写新篇章。

“红日初升，其道大光。”我相信，只要中非友好的接力棒能够在青年一代手中不断相传，中非命运共同体就一定会更具生机活力，中华民族伟大复兴的中国梦和非洲人民团结振兴的非洲梦就一定能够早日实现！

谢谢大家。